さっそく読んでみよう!

けんじたちは妖怪チームに勝てるのか!?

【新装版】水木しげるのおばけ学校①

# おばけ野球チーム

# もくじ

# おばけ野球チーム

ある日、けんじが墓場を
あるいていると、なんとなく
気もちがよくなってきた。
そこで、あまり人が
いかない墓場のおくのほうに
いってみた。
すると……。

草むらに、一本のバットがおちていた。
「あれ？　このバット、
まだつかえそうだな。」
バットには、字がかいてあった。
〝鬼太郎〟
「へんてこな名前だな。このへんに
こんな子は、いないはずだがなあ……。
きっとカミサマが、ぼくに、くれたんだろう。
あすの試合でつかってみよう。」
そう言って、けんじは、バットを家に
もってかえった。

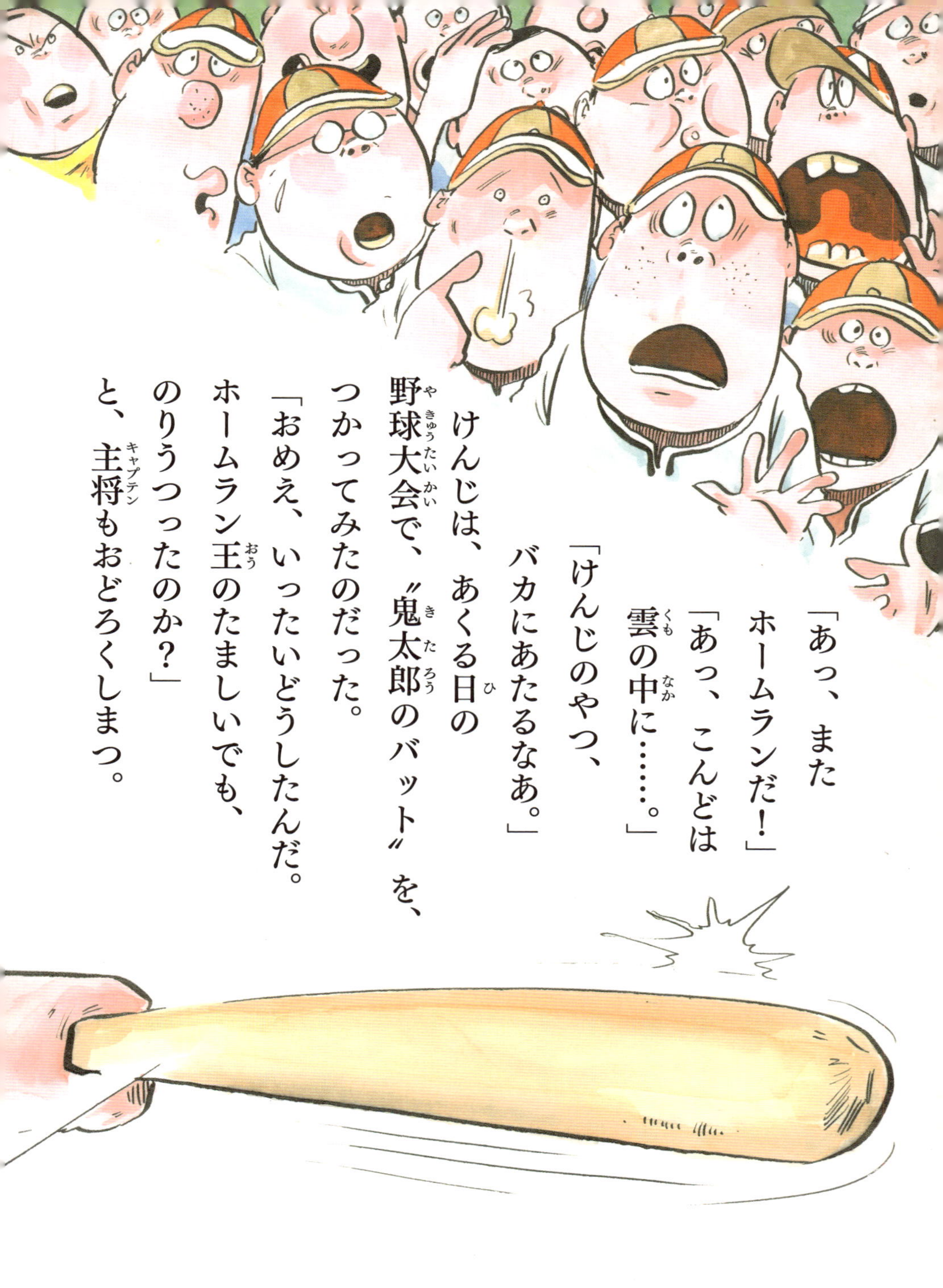

「あっ、また
ホームランだ！」
「あっ、こんどは
雲の中に……。」
「けんじのやつ、
バカにあたるなあ。」
けんじは、あくる日の
野球大会で、〝鬼太郎のバット〟を、
つかってみたのだった。
「おめえ、いったいどうしたんだ。
ホームラン王のたましいでも、
のりうつったのか？」
と、主将もおどろくしまつ。

「へへへ……。じつは、このバットのせいなんだ。」

「バット？」

「ぼくも、びっくりしたんだけど、ホームランを打ちたいとねんじるとホームランが、ゴロを打ちたいと思うとゴロが……、思いのままに打てるんだよ。」

「すげえ！　このバットがあるかぎり、われわれのチームは、むかうところ敵なしだ。」

みんなは大よろこび。

そして、十戦全勝。
たちまち、町中で評判になった。
「どうじゃ、わが町をだいひょうして、
試合に出てくれんか。」
と、市長から、申し出であったり、
「世界選手権試合に、アメリカに
いきませんか。」
と、名士から声がかかったり、
いろいろな人が、
おしかけてきた。

主将は、
「ちょっとまってください。
二、三日かんがえたいのです。
あまりたくさんの申し込みが
あって、頭がこんらんしてしまった
ものですから。」
と言って、おいかえすしまつ。

「それにしても、ものすごいバットをひろったものだ。」

けんじは、うれしくて夜もねむれないほどだった。

ボーン、ボーン。

時計が、夜中の二時をしらせた。

スーッ。

けんじの部屋の戸があき、見たこともない子どもが中へ入ってきた。

その子どもは、けんじのまくらもとにおいてあるバットをとろうとした。

「なにを、するんだ!!」

けんじは必死にとりかえそうとした。

「わるいけど、これは、ぼくが墓場におきわすれたバットなんだ。」

「すると、きみが鬼太郎⁉」

「そうとも。」

「そのバットをもっていくのは、やめてください‼」

「そんなこと言ったって、だめだよ。」

「だめだって言ったって、だめです！」

「ききわけがないね。こりゃあ、人間のつかうバットじゃないんだ。」

しかし、バットをとられては、チームに申しわけがたたない。

「ぼくは、死んでも、バットをはなしません。」

けんじは、バットにしがみついた。

すると、鬼太郎の目から、目玉がとびだしてきて、こう言った。

「そんなにほしいなら、あすの晩、試合をしてみたらどうかね。」

「うわっ!!」

「おどろかなくてもいい。ぼくの父だ。」

「ふーっ、目玉のおとうさん!?」

つぎの日、けんじは、ゆうべのできごとを、みんなに話した。

鬼太郎は、わかれぎわに
「まんいち、きみたちが勝ったら、バットはやるが、
負けたら、あの世いきだぜ。」

と、言ったのだ。

けんじたちは、すったもんだの討論をくりかえした。

「勝ってバットをもらうのはありがたいが、
負ければあの世いきとは、気がかりだ。」

「あの世って……？」

「死後の世界だよ。命がなくなってしまうということだよ。」

「だけど、それは心配ないさ。このバットがあるんだ。勝ったも同じさ。」

「このバットさえあれば、日本一、いや世界一にだって、なれるんだ。」

「なるほど。命がけで試合するだけのねうちはあるな。」

「では、夜中の三時に！」

草木もねむる丑三つどき。
けんじたちは、はんぶん不安、はんぶん
勇気をふるって、墓場に出かけていった。
そこには、チャンチャンコを着た
鬼太郎がまっていた。
「ぼくのチームを紹介しよう。」
指さすほうを見ると、なんと、
おばけの集団！
「うわーっ。」
おどろいてにげだそうとする
けんじたちを、巨大な肉のかたまりが、
とおせんぼ。
「わたし、この試合の審判よ。」

9
7

にげるににげられない、けんじたち。
「ゴーン！」
どこからともなくぶきみな鐘の音が……。
「プレイボール!!きみたちが先攻だ。」

「しばらくがまんすれば、
このバットが手に入るんだ。」
「がんばろう」
けんじたちは、はげましあって、
かくごをきめた。
ところが、計算ちがいも
はなはだしい。〝鬼太郎バット〟で
かまえても、なんと、ボールはぜんぶ、
バットをよけてとおるではないか！

「ストライク！」

「バッター、アウト！」

「おかしいぞ。ボールがにげてゆく。」

おばけチームは、ボンボン打ちまくり、五回をおわって七対〇。

あいては、バットをよける
魔法のボールをもっているのだ。
「タ、タイム。」
主将は、まっさおになってさけんだ。
「なんだ。もう、まいったのか。」
「じょ、じょうだんじゃねえ。おいら、
おまえのインチキボールについて、
抗議したいんだ。」
「よし、きみたちがそのバットの使用を
やめるなら、ぼくたちも、このボールを
つかわない。」
鬼太郎は、ずいぶん強気です。

「じゃあ、バットをやめよう。
このままれい点を
とりつづけるよりはましだ。」

「おっと、そのバット、審判があずかろう。鬼太郎、おまえもボール出せ。」

審判の肉塊が、バットとボールをとりあげて、試合再開。

「ひひひひ……。」

おばけチームは、ますます意気さかん。

それにひきかえ、けんじのチームは、

「おっかねえなあ。」

と、からだもふるえがち。

試合は、七対〇のまま、九回の表をむかえた。

「タ、タイム。」

けんじたちは、まっさおになって協議をはじめた。

「おい、いよいよ、われらぜんいん、あの世とやらへ……。」

「たはっ!!」「おかあさん、さようなら。」

「おとうさん、おせわになりました。」「みじかい一生だったなあ。」

けんじのチームは、大混乱。

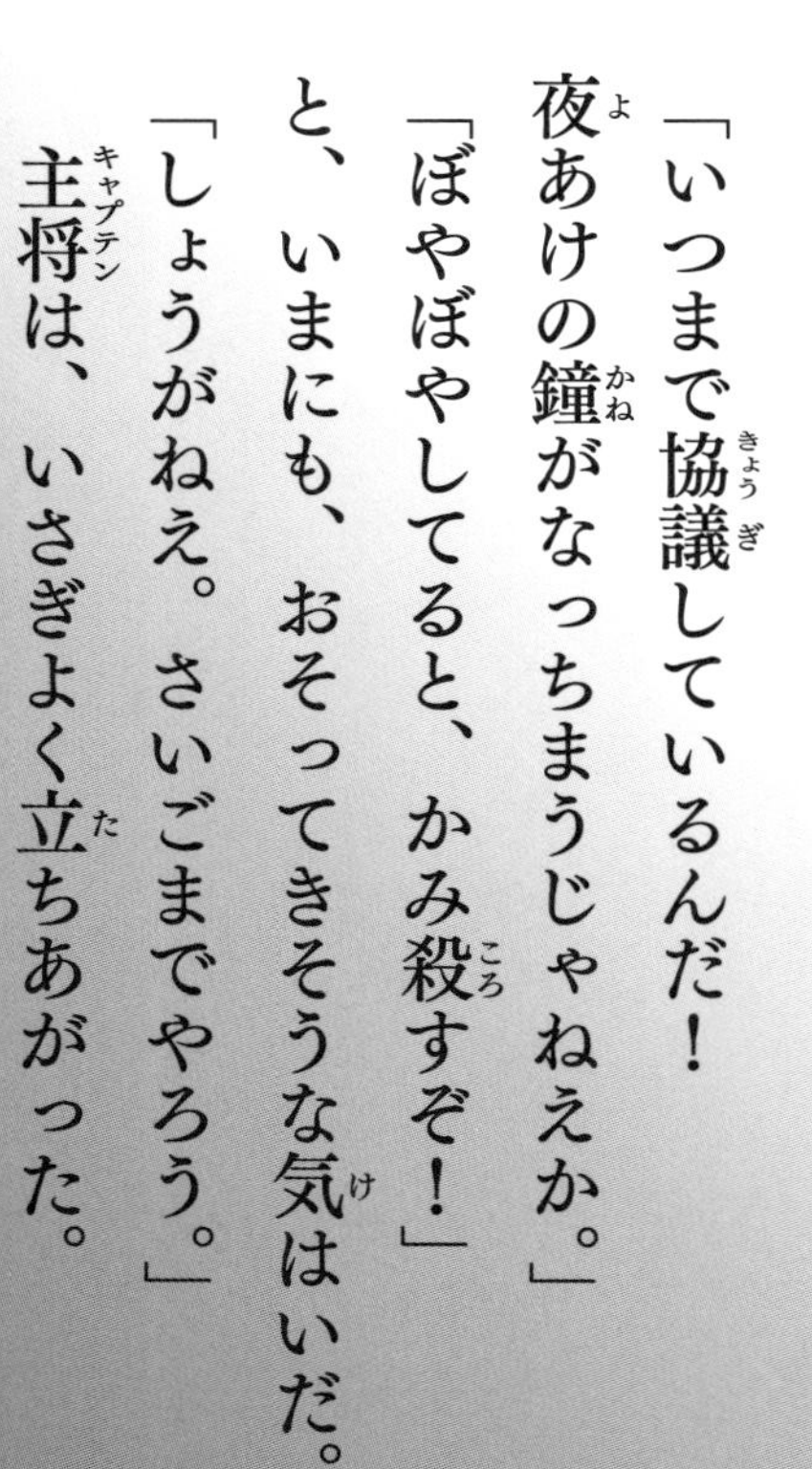

「いつまで協議しているんだ！

夜あけの鐘がなっちまうじゃねえか。」

「ぼやぼやしてると、かみ殺すぞ！」

と、いまにも、おそってきそうな気はいだ。

「しょうがねえ。さいごまでやろう。」

主将は、いさぎよく立ちあがった。

そのとき、〝ゴーン〟と、鐘がなり、

〝ピカーッ〟と、太陽がのぼってきた。

おばけたちは、いっせいに、

「ああっ、まぶしい！」

「うわーっ、おれ、もう、かなわねえや。」

と、さけんで、墓穴に入ろうとする。

「おい、にげたら、試合ができないじゃないか。」

「ふーう、どうもこの日光じゃあ、試合にならんな。
おい、きみたち、この試合は中止といこうじゃないか。
バットはこちらへ、命はそちらへ……
という条件でどうかね。」
と、提案する鬼太郎。
ポカーンと見ているけんじたちの前で、
おばけの一団は、フーッと消えてしまった。

「どうやら、
命は
助かったらしいぜ。」
「はやいとこ、
家にかえろう。」
一同われにかえると、
あわてて家に
にげかえった。
あとには、
〽ゲ、ゲ、ゲゲゲのゲ
みんなで歌おう、ゲゲゲのゲ
BABY

という虫たちの
歌声だけが、
ながれていた。
こうして、けんじは、
まんまと、鬼太郎に
バットをとりかえされて
しまったの
だった。

妖怪学校

林間学校に、とてもいたずらずきな
子どもが、まじっていた。
忠助は、村人たちからおそれられている
「入らずの山」に入りたくて、
しかたがなかった。
「忠助、そこへ入っちゃあだめだ。
先生にしかられるぞ。」
「なんだと！　おれの自由じゃねえか。」
忠助は、いきなり金太になぐりかかった。
「金太！　おれが、あの山にのぼったことを
ほかのやつにしゃべったら、しょうちしないぞ。」
「わかったよう。」
忠助は、山へのぼっていった。

忠助は、頂上まで
やってきた。
「なんだ、こりゃあ……？
なぞめいたところだな。
すずしそうなほら穴まで
あるぜ。あっ、風が
出たり入ったり
している。きっと、
ぬけ穴だ。」

「まるでつくったみたいに石がしきつめてある。なんだ、いきどまりじゃねえか。すると……、いったいあの風は、どこから出入りするのだろう。べつにすきまもないようだ。ちえっ、けっきょくなんにもなかったじゃないか。」

忠助は、そのほら穴に、よせばいいのにウンチをしてかえってきた。

それから二、三日して……。

忠助のかよっている小学校のろうかを、小さな法師があるいていた。

法師は教室のまどガラスにはりついて、忠助をじっと見とどけると、すがたを消した。

やがて下校時間。

忠助は金太たちと、いたずらの相談をしながらかえっていた。

と、どこからか、一陣の風がふいてきた。

「おや？
きゅうに風(かぜ)が
ふいて
きたぜ。」
「あっ、
ぼうしが……。」
忠助(ちゅうすけ)は、
とばされたぼうしに
しがみついた。
「助(たす)けてくれー。」
忠助(ちゅうすけ)は、ぼうしと
いっしょに、大空(おおぞら)のかなた
まで、とばされてしまった。

「そんな、バカな！」

「そうですっ。うちの忠助が風になって大空に消えてしまうなんて、考えられません。

校長先生、これは、うそにきまっていますよ。」

「でも、ほんとうなんです。」

「忠助くんは、風になってしまったんです。」

おとなたちは、だれも金太たちの言うことを信じようとはしなかった。

しかし、一週間たっても、忠助はかえってこなかった。

「おい金太！　うちのおばあさんが、
茂林寺のうらに霊界ポストが
あるって言うんだ。」
「なにっ、霊界ポスト？」
「手紙を入れると、鬼太郎が
くるっていうあれだよ。」
「おもしろい！
やってみようじゃないか……。」
「風にさらわれた人間事件なんて、
警察じゃ手におえないからね。」
「あれだな。」

カラッン
コロッン

霊界ポストに
手紙を入れて、
二、三日すると、
いずこからともなく、
鬼太郎がやってきた。
「あっ、鬼太郎だ！」
「友だちが、風に
つれていかれたという手紙は、
きみたちからなんだね。」

「ちょっと質問があるんだ。忠助が一陣の風によって、つれていかれたと言うが、それなら忠助のところへいくには、一陣の風にのらなきゃあいけない。」

「どうしたら、一陣の風がおこるんだろうな？」

「それは、忠助がどんないたずらをしたかをきけばわかるんだ。」

「忠助のいたずらは、きりがないよなあ……。」

「その中から、くさいと思う話を話せばいいのだ。」

「くさいと言えば、このまえの林間学校のときだ。」

「ふむ。」

「入らずの山に入って、ほら穴の中にウンチをしたとか……。」

「なるほど。だいたいようすはわかった。」

「では、忠助をたのみます。」

それから
しばらくして、
鬼太郎は、
入らずの山の
ほら穴の中に、
忠助と同じことを
してかえってきた。
そして、遊園地で
ブランコをたのしんでいる
と、案の定、
一陣の風がふいてきた。
「おっと、おいでなすったな。」

「うわーっ。」
鬼太郎がゆだんしていると、
思わぬ術。
鬼太郎は、あっと言うまに、
入らずの山に、
はこばれてしまった。
目玉、グルグル。
そのとき、大きなわらい声。

「あっ、見上げ入道！」

「ふははは……。」

「子どもかくしは、おまえのしわざだったのだな。子どもをかえせ！」

「なんだと、このたわけ者めが。まだ、わしの力がわからんと見えるな。これでもくらえ！」

「ふーっ!!」

見上げ入道は、しろい糸のようなものをはいた。

鬼太郎が、クモの巣のような
奇妙な糸からにげようと
しているうちに、見上げ入道は、
どこかに消えてしまった。
あたりを見まわしても、
どこにもいない。
しかし、鬼太郎には、妖気を
感じるかみの毛が
一本あるのだ。
それを立てて、
妖気の強いほうにすすむと、
大きな木のほこらに
たどりついた。

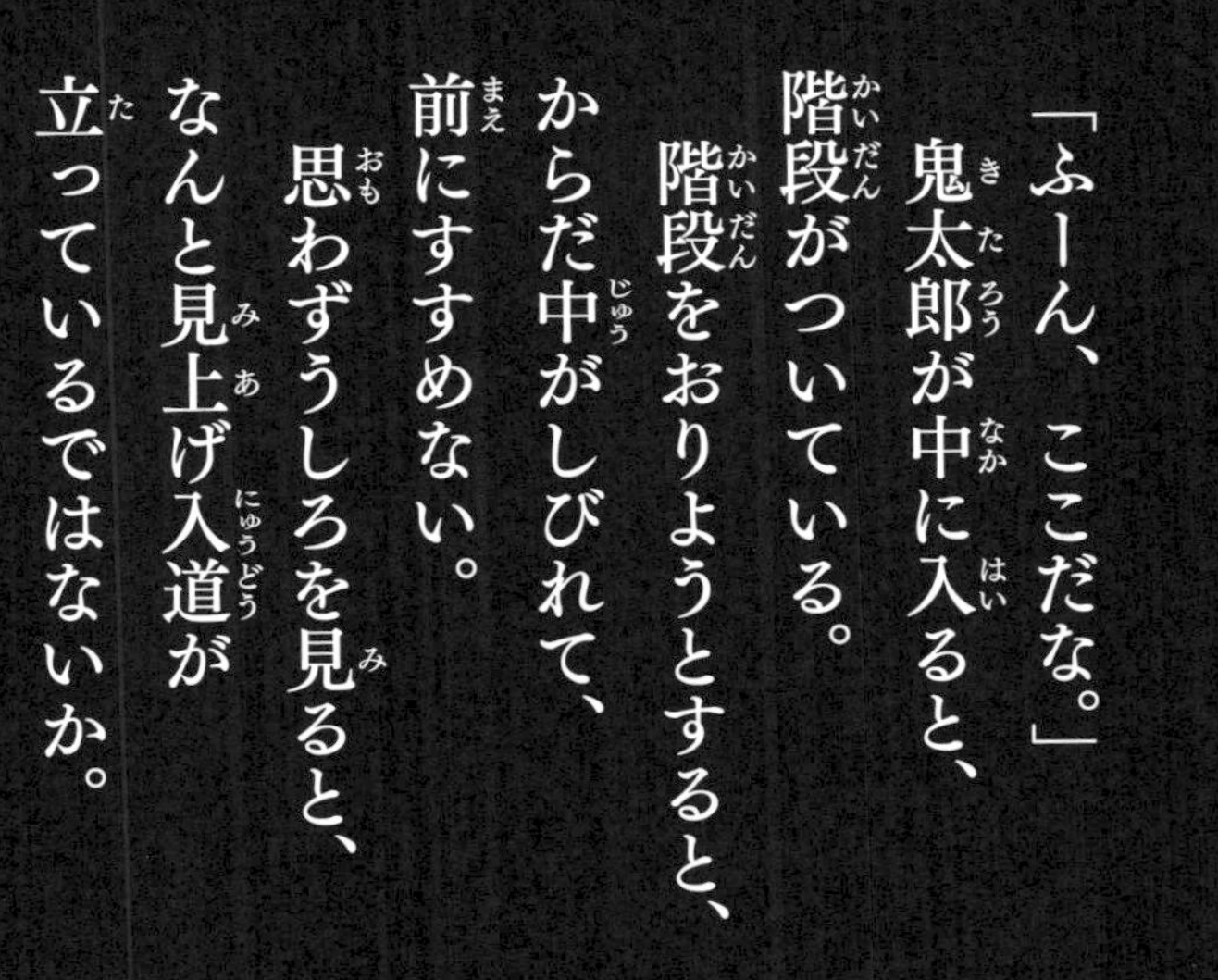

「ふーん、ここだな。」
鬼太郎が中に入ると、
階段がついている。
階段をおりようとすると、
からだ中がしびれて、
前にすすめない。
思わずうしろを見ると、
なんと見上げ入道が
立っているではないか。

「おい、わしはな、おまえのような
いたずらな子どもをあつめているのだ。
わしといっしょにこい。」
鬼太郎は、からだがしびれているので、
たたかうこともできない。
見上げ入道に言われるままに、
地下への階段をおりていくと、
奇妙な学校があった。

「あっ、妖怪学校じゃないか。」

「ぐずぐず言わずに入れ。」

「いまさら、妖怪学校でもないだろ。」

「なに、もんくがあるのか。わしと一戦まじえて、ズタズタにひきさかれたいか。」

見上げ入道のつかう変な術がやぶれないかぎり、たたかってもムダだと考えた鬼太郎は、やむをえず妖怪学校に入ることにした。

そこには、いたずらな虫、いたずらなねこ、いたずらな子どもが、机にむかってすわっていた。

「あっ、きみは忠助くんじゃないかい?」

「そうだけど……。」

忠助たちは、妖怪に養成されるために、つれてこられたのだった。

やがて、ポクポクと、
ガイコツをたたく音がして、
授業がはじまった。
「妖怪はいつまでも生きられるが、
人間のように子どもをうんで、
子孫をふやすことはできない。
そこで、いたずらな生きものを
つかまえてきて、教育し、
へんけいさせて、妖怪を
ふやすのだ。」

「では、つぎの授業『空気のおいしい食べ方』まで、きゅうけいする。」

見上げ入道先生が立ちさったので、鬼太郎は忠助と、入道たいじの相談をはじめた。

「あいつをたいじしないかぎり、ここからにげられないよ。」

と、鬼太郎。

「たいじ？　そんなことできるかよ。あいつは空気を自由につかえるんだぜ。」

「空気を自由に？」

「きっと、はいがとくべつにできてるんだろ。台風をおこすぐらいの空気をはきだすもの。」

「それに、空気を舌のさきで、自由にへんかさせることもできるんだ。」

「なるほど。それで、しろい糸のような空気でぼくをいじめたんだな。」

「それだけじゃない。空気をすったりはいたりして、自分のからだを、どうにでもできるんだ。」

ふたたび、授業がはじまった。

「妖怪として生きるには、まず空気をたべなくてはいかん。これは、一日や二日ではできない。十年、二十年とれんしゅうしなくては、空気をごはんのかわりにはできない。まず、わしがやってみせる。」

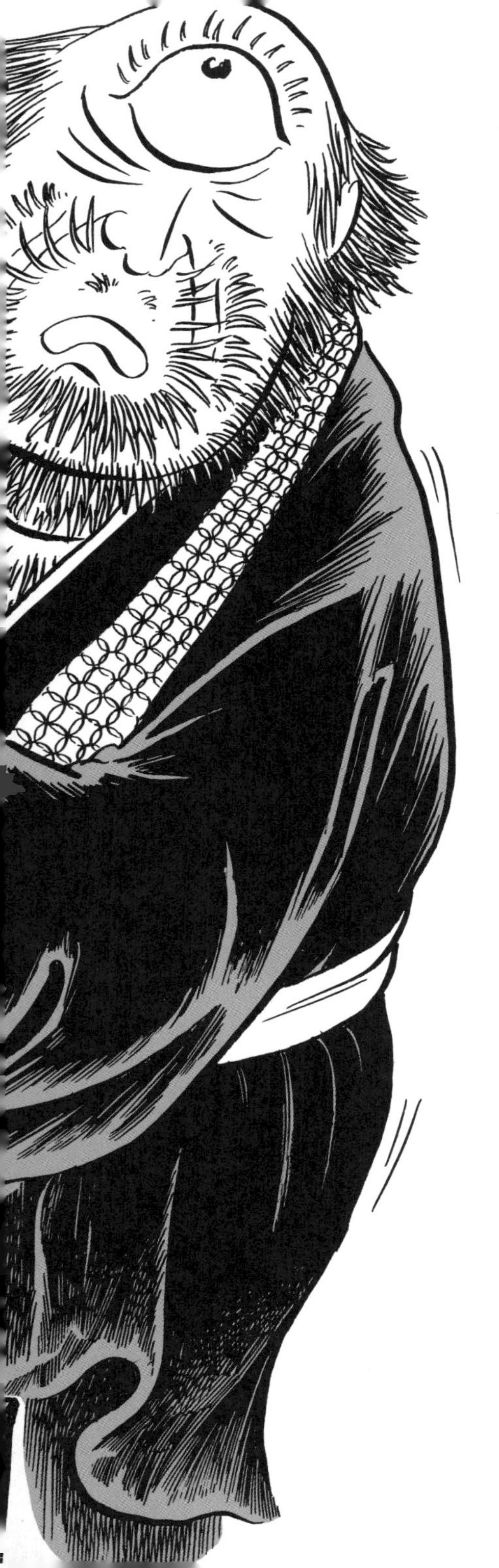

見上げ入道は空気をすうと、ふうせんのようにふくらんだ。

「これいじょうやると、天井に頭がつかえるのでやめておくが、五十階だてのビルくらいの大きさになることもできる。」

そう言って、見上げ入道は空気をはいて、

もとどおりになった。

「先生、小さくなることだって、できるのですか？」

鬼太郎が質問した。

「できるとも。ねこくらいにだってなることができるんだ。」

見上げ入道は、どんどん体ないから空気を出していった。

「どうだ。もっと小さくなってやろうか。」

「先生、そんなに小さくなったら、消えてしまいますよ。」

「バカものッ、先生の力をなんだと思ってんだ。ほれみろ!!」

「うわーっ、さすがは先生だ。こんなに小さくなられたぜ。」

「なんだ、これくらいで感心してるのか。もっとちいさくなることだって、できるんだぜ。ほれみろ。」

「うわーっ、みんなみろ。先生のおどろくべき術だ。」

「はははは、もっとおどかしてやろうかな。」

鬼太郎のおだてにのって、見上げ入道はリンゴくらいの大きさになった。

「ざっと、こんなもんだ。」

「それーっ。」
鬼太郎は、ここぞとばかり、
見上げ入道におそいかかった。
ところが、
ボワーン！
という音がして、入道のすがたは
鬼太郎の手から消えてしまった。
「あっ、消えた？」
「よし、いまのうちににげよう。」
だが、鬼太郎は、
こめつぶのようなものが、
必死になってへやから出ていこうと
するのに気がつかなかった。

ははははは

ほうほうのていで、
妖怪学校をぬけだしたのも
つかのま、なんと、
見上げ入道が道を
ふさいでいるではないか。
「みんな、かくれていろ。」
鬼太郎はひとりで、
入道とたいけつを
はじめた。

しかし、烈火のごとくおこった見上げ入道は、
いきなり鬼太郎にむかって、ふしぎな空気を
おくってよこした。
「秘法霊界流し!!」

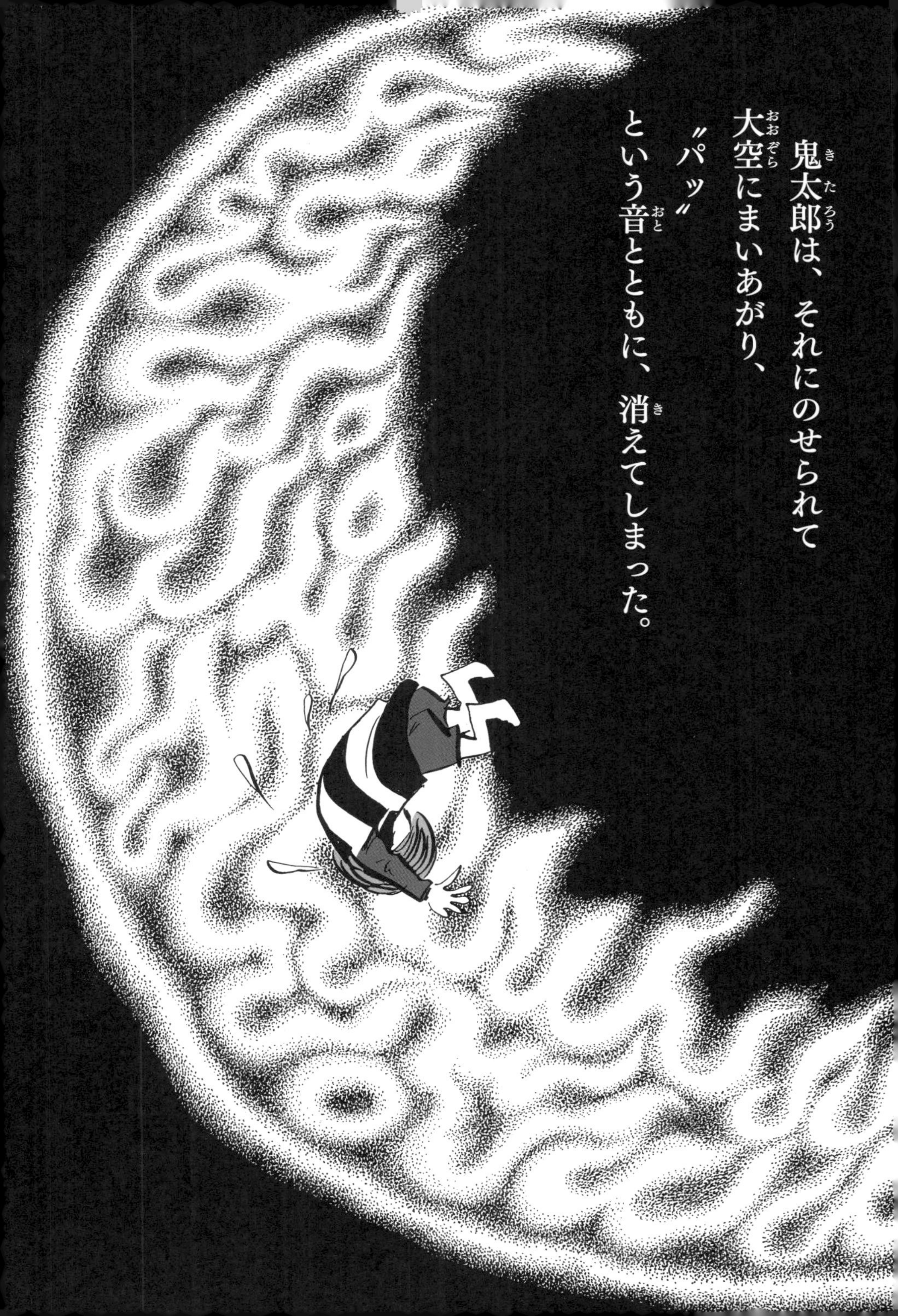

鬼太郎は、それにのせられて
大空にまいあがり、
〝パッ〟
という音とともに、消えてしまった。

「あっ、消えた！」

忠助たちは、がっくりきてしまった。

「すべて、わしにさからうものは、
ああなるのだ。さ、わかったら勉強だ。

きょうから、ビシビシきたえるからな。」

いっぽう大空に消えた鬼太郎は、
ふしぎな世界にながされていた。
「バカにたのしそうなところだなあ。」
チョウがまい、木々はみどりにしげっていた。
「だれじゃ、ここは死霊の国じゃぞ。
わからんのかね。」
という声がする。

ふりかえると、メガネをかけた骨みたいな男がたっていた。

「この国は、生きているものには見えないが、空中にポカンとうかんどるんじゃ。外国では天国と言うし、日本では高天ヶ原と言うておる。

それにしてもきみは、死霊の国にきても死なないとはへんだね？」

「ぼくには、この霊毛でできたチャンチャンコがあるからなんです。」

「すると、きみはばけものだな。高天ヶ原の平和をみだされてはこまる。それ、そこにある木のねっこ。そのフタをとれば、下界におりられる。はやく、立ちさるがよい。」

「木のねっこのフタ？」

「それ、そこのきりかぶのところよ。」

「あっ、これですか。トイレのフタのようになってるんですね。」

「よけいなこと言わずに、はやく立ちされ。」

鬼太郎はきりかぶのフタをとると、そこはむげんのふかい穴になっていた。

「ほんとだ。」

鬼太郎は、その穴から空中に出た。そしてそのまま、ドサッと草原におちていった。

　ふつうの人間なら死んでしまうところだが、鬼太郎には、祖先の霊毛でつくったとくべつせいのチャンチャンコがあり、そのうえに不死身だから、助かったのだ。

鬼太郎は、ちょっと気をうしなっただけで目をさまし、見上げ入道のすみかへむかった。

いかに不死身の鬼太郎でも、大空から、まっさかさまにおちたのだ。ぜんしんをうって、足こしもいたいのだが、

「あの見上げ入道をやっつけてしまわないことには、この世の中に、どんなわざわいがおこるともかぎらない。」

という正義感が、鬼太郎をすすませるのだった。

さて、見上げ入道の妖怪学校では、きびしい授業がつづけられていた。

「きょうから、おまえたちは、いよいよ妖怪ミキサーで、はげしいくんれんをうけることになる。」

「ひえーっ。」

「だれだ、ひえーっ、と言ったやつは。わるい妖怪になるためには、ふつうの妖怪では、たえられないようなくんれんをしなければならない。あーっ、と人をおどろかすような悪事はできない。悪事をかさねて、世界をほろぼしてしまうのが、わるい妖怪のしめいなんだ。わかったか。わかったら、じゅんばんにここへ入る。」

見上げ入道先生は、忠助たちを〝たるミキサー〟の中に入れると、まるで宇宙飛行士のくんれんのように、カラカラとまわした。

中に入っている忠助や、ねこのネコ太たちは、ふらふらだった。

ピタッ。

止められて、中から出てきたときには、もううごけない。

「こんなことで、へこたれてどうする。妖怪になるためには、まいにちこうしてきたえるのだ。」

と、見上げ入道は、元気はつらつだ。

ぞろぞろぞろ

一日の授業がおわり、
やっと、ねることが
ゆるされた。
「これから
どうなるのだろう。」
「ニャンとか
しなければなあ……。」
「絶望的やなあ。」
毛虫たちは、とても、
ねるどころではなかった。

と、トトンと、しょうじを
たたく音がする。
「だれだ？」
「しーっ。」
「あっ、鬼太郎じゃないか！」
「いよいよ、見上げ入道を、
たいじするときがきた。」
忠助は、ガバッとはねおきて、
さけんだ。
「おお、おいらは、もう死んだほうが
ましだと思っていたところだ。
死ぬ気できょうりょくするぜ。」

「敵は、どこでねてるんだい？」
「あの穴の中だよ。」
「じゃあ、はやく、この草に
火をつけるんだ。」
忠助たちは、かれ草をもやしはじめた。
「火をたいて、けむりを、どんどん、
穴におくりこめ！」
穴の中では、ゴホンゴホン、
という声がきこえる。
「彼は、空気をすうことができないから、
小さくなっているだろう。そのとき、
つぶしてしまうんだ。」

そのとき、空のほうで、
「ガハハハハ。」
と、おそろしげな声が、
ひびきわたった。
「しまった！」
見上げ入道は、すでに空気をたくさん
すいこんで、ふくらんでいたのだ。
「にげろ！　すいこまれるぞ!!」
ものすごい吸引力で、
入道がおいかけてくる。
「うわー！」
とうとう、みんな、入道に
すいこまれてしまった。

ズろズろズろ

勝ちほこる入道。

ところが、あまりにもすごいいきおいで、空気をすいこんだため、くるしくてたまらなくなってしまった。

はやく空気を出そうとするが、のどになにかがつかえて、入った空気が出てこない。

くるしさは、いよいよつのってくる。

入道は、いっそう力をいれて、まっかになったが、のどにはりついたものは、よほど強力なものらしく、ピクリともうごかない。

からだじゅうから、あせがたらたらと出て、のどもカラカラにかわいてしまうので、そうぞうもできないくるしさ。

のみこむことも、出すことも、できなくなってしまったのだ。

見上げ入道は、くるしさにたえきれず、
ありったけの力で、りきみにりきんだ。
バーン！
すさまじいばくはつ音がおきた。
入道の腹が、はれつしたのだ。
すいこんだ空気が、いっきょに腹を
けやぶって出たのだ。
風船がばくはつしたときのように
からだじゅうのかわや肉が、こなごなに
とびちってしまったから、たまらない。
いくら妖怪でも、こなごなに
ちってしまったからだは、
もとにかえらない。

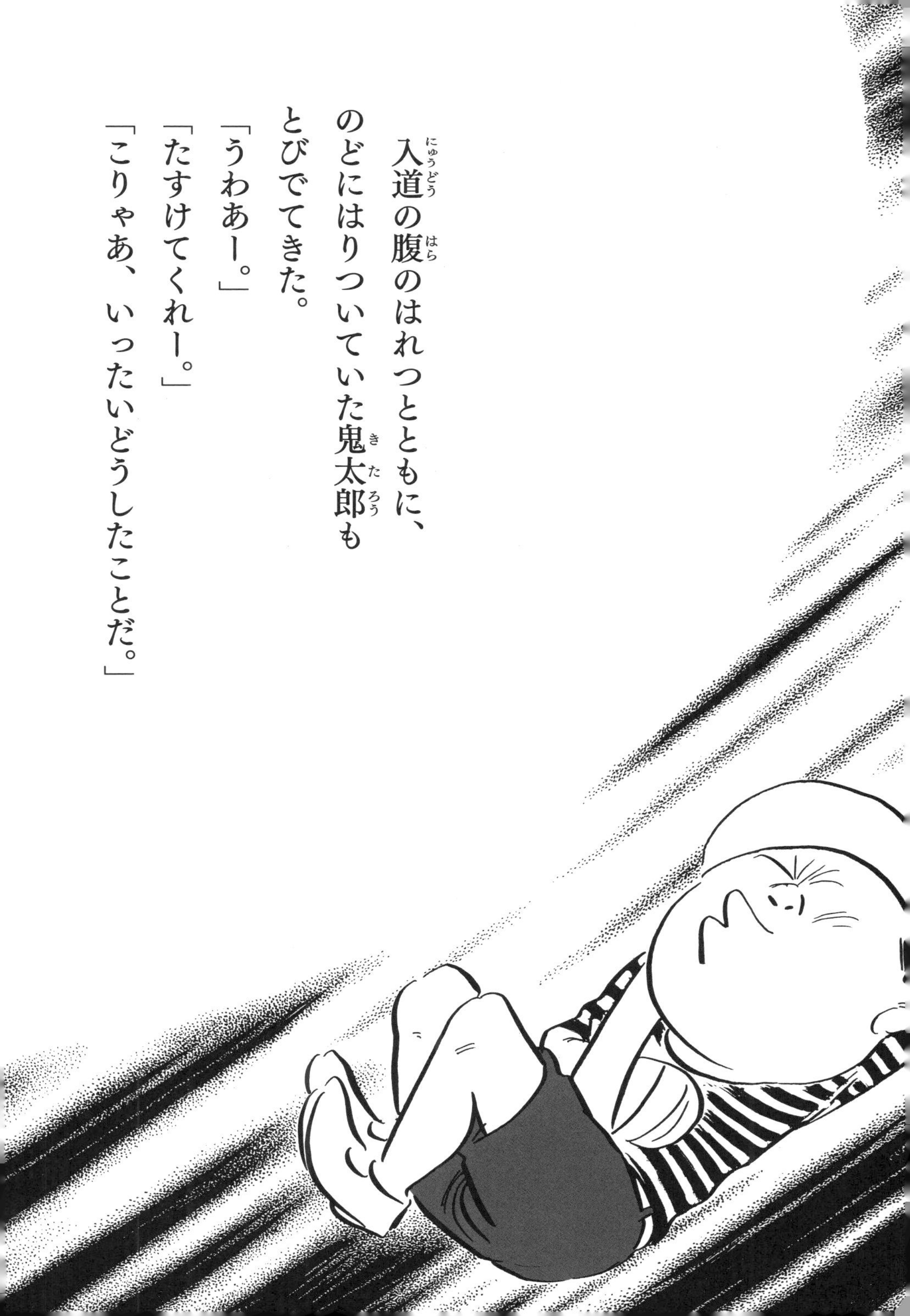

入道の腹のはれつとともに、のどにはりついていた鬼太郎もとびでてきた。

「うわあー。」

「たすけてくれー。」

「こりゃあ、いったいどうしたことだ。」

ドサ、ドサ、ドサーッ。

鬼太郎たちは、入らずの山の
ふもとにもどってきた。

「いったい、どうなってんだ？」

忠助は、ふしぎでしかたありません。

鬼太郎がせつめいします。

「口の中へすいこまれたとき、
このチャンチャンコで、
のどをふさいだのさ。」

「そのチャンチャンコは、
そんなに強いのかい？」

「霊毛でできているから、どんな
物質よりも強いのさ。」

「それで、のどをふさがれ、あっぱくされた空気が腹からとびだしたんだ。」

「しかし、見上げ入道は、ほんとうにやられたのかな。」

「おいかけてこないところをみると、たぶん死んだんだろう。」

「そいつぁ、ありがてえや。」

と、みんなは、あんしんしてかえろうとした。

「おっと、いたずら子どもに、いたずらねこに、いたずら毛虫！

今回の事件のせきにんはだれにあるか、という問題がのこっている！」

「ウヘ！　雲ゆきがあやしいぞ。」

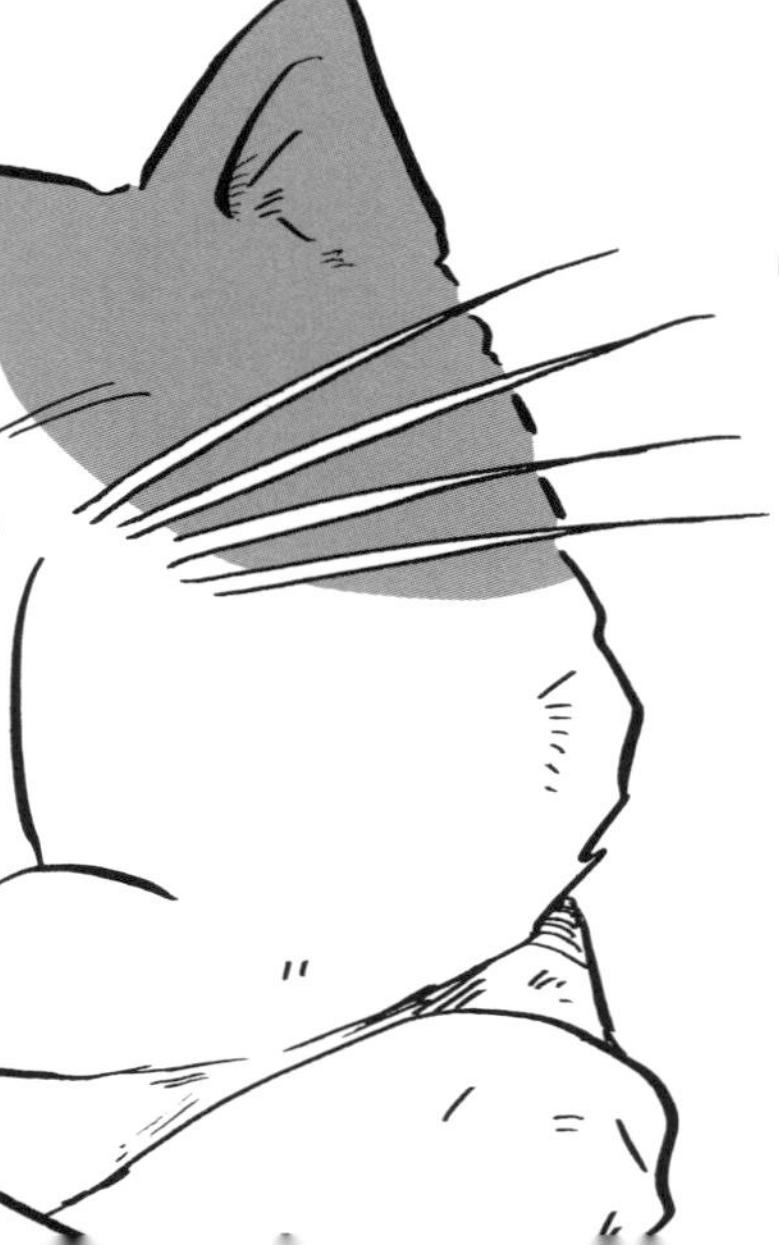

「おまえたちが、入らずの山でウンチをしたばっかりに、こんどの事件がおこったんだぞ。」

「はい、はんせいしています。」

「しかし、あんニャところが、どうして、見上げ入道と関係があるんニャろう？」

　鬼太郎は、ねこにしておくにはもったいないくらいの頭だと、ほめてから、ねこ語でせつめいしてやった。

「くわしくは、妖怪のなぞにふれるので、かるがるしくは言えない。

ただ、あの穴は、おおむかしから、
見上げ入道のなわばりだったんだ。
あそこへ入ると、入道にさらわれると
いう伝説があったのだ。こんご、
伝説に注意したまえ。」

「鬼太郎さん、ありがとう。」
忠助たちは、鬼太郎にこころから
礼を言って、かえっていった。

〽ゲ、ゲ、ゲゲゲのゲ
みんなで歌おう、ゲゲゲのゲ

草むらには、どこからともなく、
鬼太郎をたたえる
〝ゲゲゲの歌〟が、ひびいてきた。

# あとがき――鬼太郎のおいたち

水木しげる

鬼太郎の祖先は、人類が地球にあらわれるまえにいた人間の生きのこりです。すなわち、人間からいうと、幽霊族ともいうべき、べつな種類の人間なのです。おとなしい幽霊族は、しだいに人間におわれて地下に住むようになり、鬼太郎のお父さんのころになって、鬼太郎一家だけが生き残るわけですが、お父さんは地下で、からだがとける病気になり、なんとか病気をなおそうと地上に出てきますが、お金がないので、血を売ったりしてくらしていました。

血液銀行で、へんな血がまじっていることがそのうち問題になり、そこの社員、水木なにがしという者が調査するころは、鬼太郎のお父さんは病気で死に、その妻もなくなっていました。

哀れに思って、水木なにがしが墓穴にうめると、二、三日して、墓から赤んぼうの声がします。行ってみると、赤んぼうが墓から出てきます。すなわち、死んだ母から生まれたのです。

水木はその赤んぼう、すなわち鬼太郎を家につれてかえり、そだてますが、ちょうどそのころ、父の死体から目玉だけがうごきだし、鬼太郎を助けます。それは、子どものゆくすえをあんずる父の魂なのです。鬼太郎は、水木と父親である目玉とによってそだてられますが、幼稚園にゆくころになると、夜、墓場にゆき、お化けと遊ぶようになります。水木は鬼太郎が人間でないことをしり、鬼太郎から手をひきます。

それからというもの、鬼太郎とお化けたちの生活がはじまるわけですが、鬼太郎は祖先の霊毛という魂でできた、チャンチャンコをもっているので、つねに祖先にまもられ、むてきです。

そういう化物にあこがれる奇妙な男が、まもなく鬼太郎の友人となります。名前は「ねずみ男」といって、自分では三百年生きた人間と妖怪のあいだに生まれた子と言っていますが、不潔な男でしかもずるく、欲望は人一倍強いが、いつも失敗しています。

これが、鬼太郎のおいたちですが、親の魂の化身である目玉と祖先の化身であるチャンチャンコは、鬼太郎が危機におちいると、必死になって鬼太郎の命をまもります。

## 水木しげる

1922年、鳥取県境港市出身。同市の高等小学校を出て大阪にゆき、いろいろな職業につきながら、いろいろな学校を出たり入ったりする。戦争で左腕を失う。著書には『ゲゲゲの鬼太郎』『悪魔くん』『河童の三平』『日本妖怪大全』などがある。

※本書は、1980年にポプラ社より刊行された『水木しげるのおばけ学校① おばけ野球チーム』を再編集したものです。再編集にあたって、一部、現代の社会通念や人権意識からは不適切と思われる表現を修正しております。

## おばけ野球チーム

新装版　水木しげるのおばけ学校①

---

2024年9月　第1刷

著　者　水木しげる
発行者　加藤裕樹
発行所　株式会社 ポプラ社
〒141-8210 東京都品川区西五反田3-5-8
JR目黒MARCビル12階
ホームページ　www.poplar.co.jp
印刷・製本　中央精版印刷株式会社
デザイン　野条友史（buku）
ロゴデザイン協力　BALCOLONY.

---


N.D.C.913 ／ 111P ／ 22cm ISBN 978-4-591-18266-6
P4184001